My Little Chick

میرا ننھا چُوزا

English-Urdu

Author : KAMBIZ KAKAVAND
Illustrator : ALI MAFAKHERI

Kakavand, Kambiz
My Little Chick
Dual language children's book

Illustrator : Ali Mafakheri

ISBN : 81-7650-226-X

Published in India for
STAR BOOKS
55, Warren Street,
London W1T 5NW (UK)
Email : indbooks@spduk.fsnet.co.uk

by
Star Publishers Distributors
New Delhi 110002 (India)

Peacock Series
First Edition : 2006

This book has been published in dual language format
under arrangement with Shabaviz Publishing Co., Iran.

Printed at : Public Printing (Delhi) Service

Daddy bought a pair of beautiful pink shoes for my little sister Leila.

ابّا نے میری چھوٹی بہن لیلا کے لئے گلابی رنگ کے خوبصورت جوتے خریدے۔

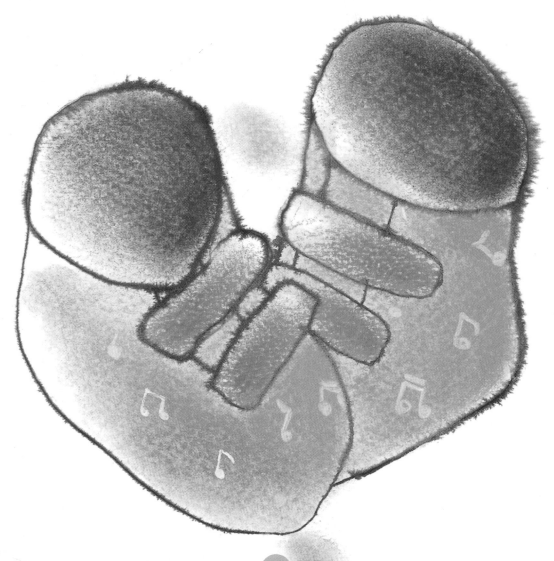

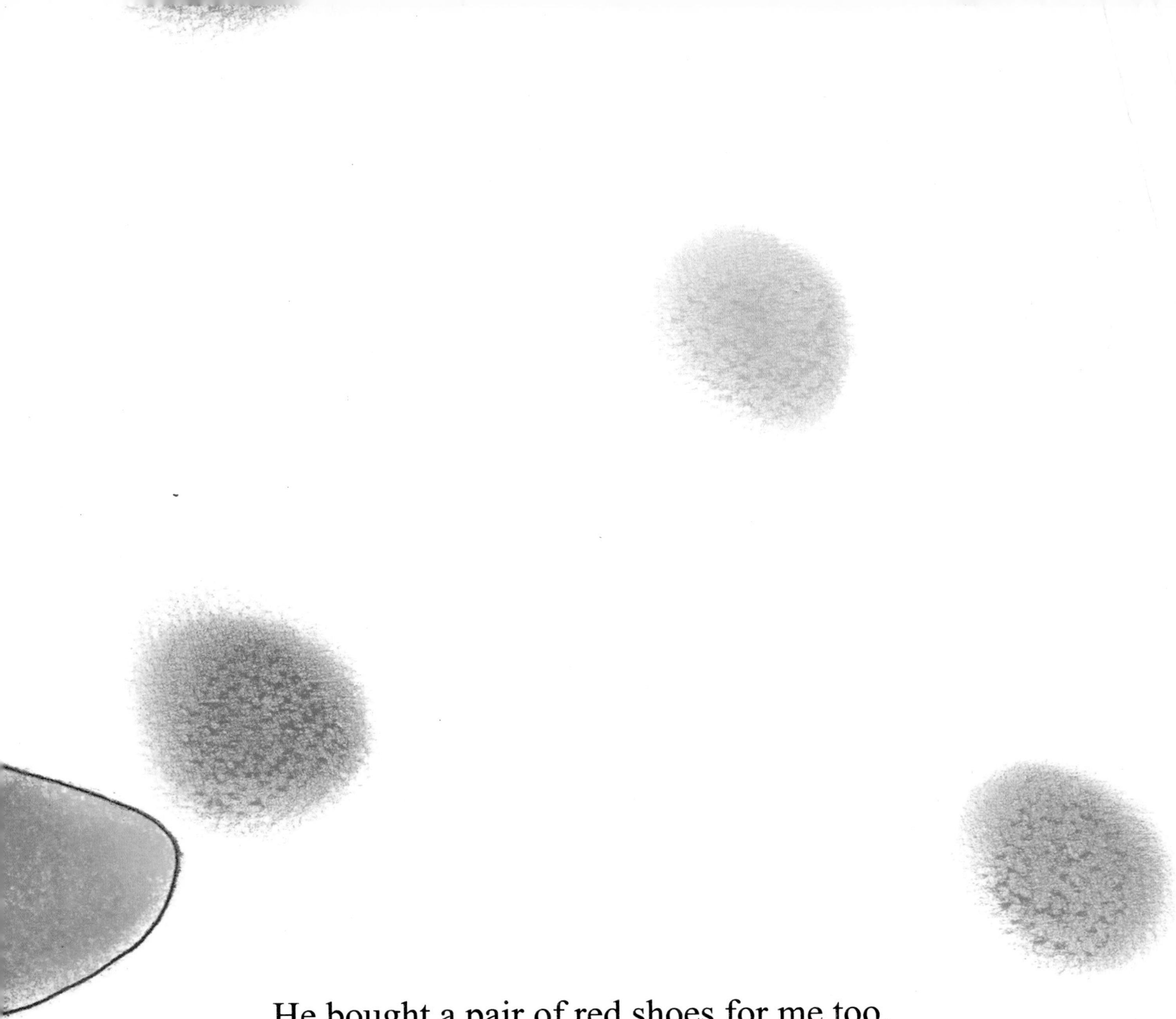

He bought a pair of red shoes for me too.

انہوں نے میرے لئے بھی لال رنگ کے جوتے خریدے۔

When Leila wore her pink shoes and walked in them,
they made a chirping sound. I loved that sweet sound.

جب لیلا اپنے گلابی جوتے پہن کر چلی، وہ چوں-چوں کی آواز کرنے لگے۔
وہ دلکش آواز مجھے اچھی لگی۔

I said to Daddy, "I also want a pair of chirping shoes."
Mummy immediately replied, "But, dear Sara, you are
a big girl. Only little kids wear chirping shoes."

میں نے ابّا سے کہا، ''مجھے بھی چوں-چوں کرنے والے جوتے چاہئیں۔''
امّی نے فوراً جواب دیا، ''لیکن سارا، تم بڑی ہوگئی ہو۔ چوں-چوں کرنے
والے جوتے تو صرف چھوٹے بچے پہنتے ہیں۔''

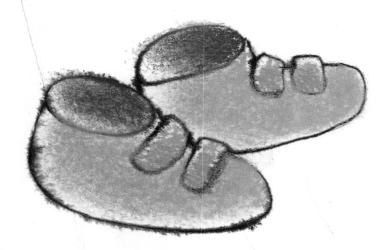

Next morning, Mummy and I went to the market. Mummy bought some fruits and vegetables. As we were returning home, I suddenly heard a chirping sound. I turned back and saw some chicks in a basket in one corner. The chicks were chirping and jumping over each other.

I said to Mummy, "Now that Daddy has not bought chirping shoes for me, please buy me a chirping chick."

اگلی صبح، امّی اور میں بازار گئے۔ امّی نے کچھ پھل اور سبزیاں خریدیں۔ جیسے ہی ہم گھر کی طرف واپس آرہے تھے، اچانک میں نے چوں-چوں کی آواز سنی۔ میں پیچھے مڑی اور دیکھا کہ کونے میں رکھی ایک ٹوکری میں کچھ چوزے تھے۔ وہ چوں-چوں کر رہے تھے اور ایک دوسرے کے اوپر اچھل رہے تھے۔

میں نے امّی سے کہا، "اب جب ابّا نے میرے لئے چوں-چوں کرنے والے جوتے نہیں خریدے تو مہربانی کر کے مجھے چہچہانے والا ایک چوزہ ہی خرید دو۔"

I saw that some chicks were white, some were black, some russet and some speckled. I pointed to a nimble russet chick and said, "I want that chick."

میں نے دیکھا کہ کچھ چُوزے سفید تھے، کچھ کالے، کچھ بھورے اور کچھ چتّی دار تھے۔ میں نے بھورے رنگ کے ایک چُوزے کی طرف اشارا کرکے کہا،'' مجھے وہ چُوزا چاہئے۔''

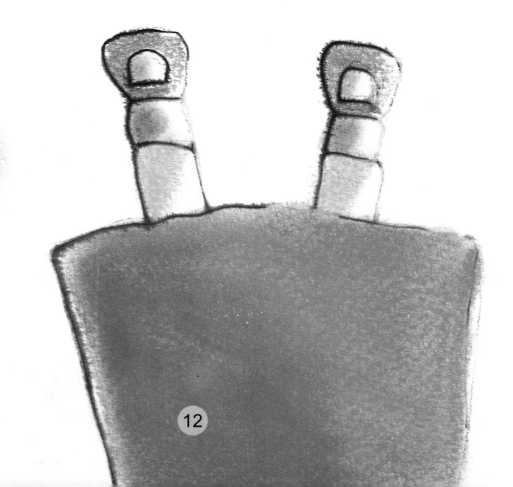

The chicken vendor said, "These are tame chicks. If you feed your chick well and take good care of her, she will grow up soon and lay eggs for you." Mummy bought me the russet chick.

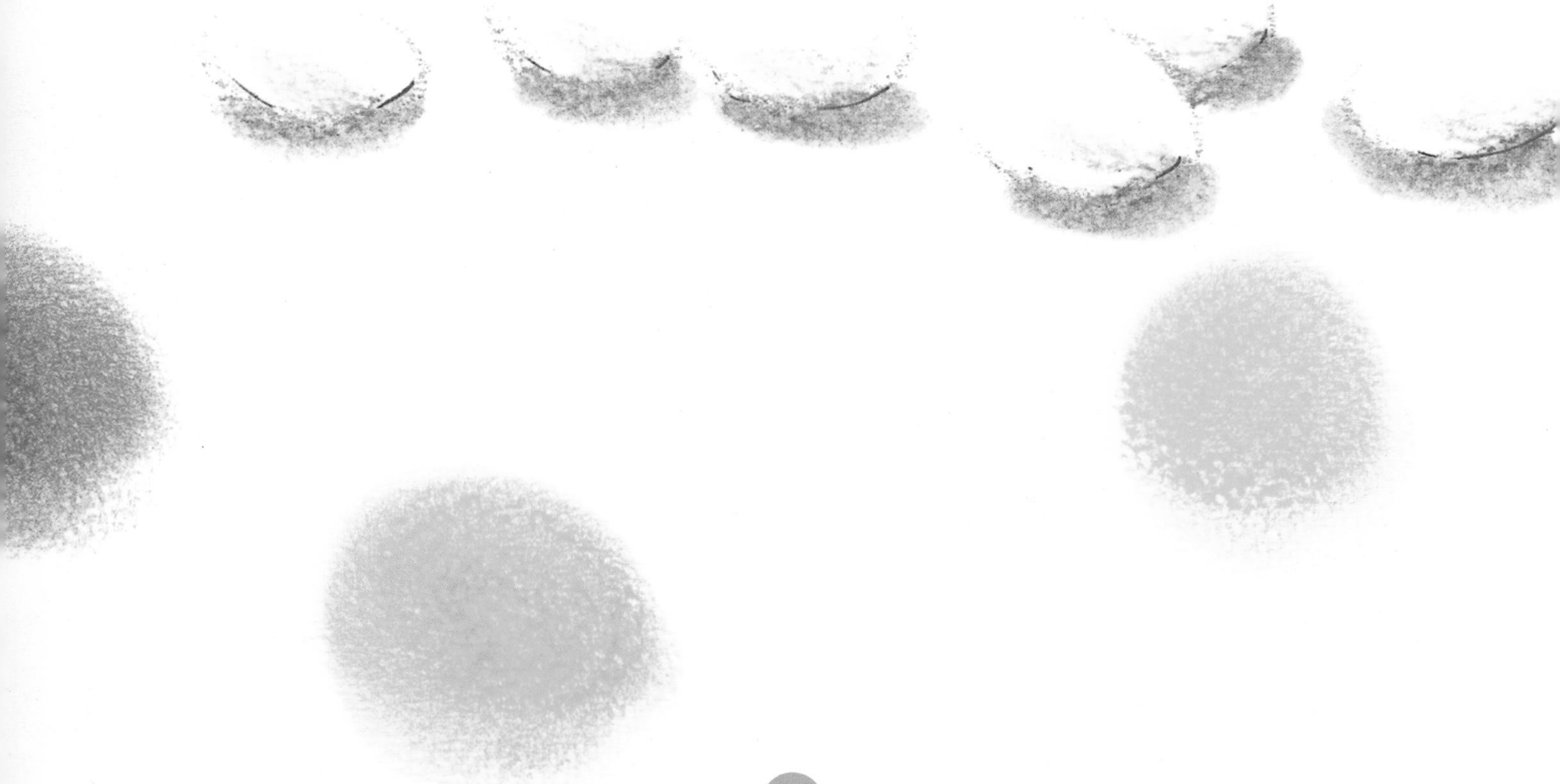

چُوزے بیچنے والا بولا، ''یہ سب پالتو چُوزے ہیں۔ اگر تم اپنے چوزے کو اچھی خوراک دو گی اور اس کی دیکھ بھال ٹھیک سے کرو گی، تو وہ جلدی بڑا ہو گا اور تمہارے لئے انڈے دے گا۔'' امّی نے میرے لئے وہ بھُورا چُوزا خرید لیا۔

17

Russet Chick could not chirp at all. When I threw seeds in front of her, she would simply eat them quietly. I said to her, "Now say, 'chirp, chirp'. Leila's shoes make a chirping sound. You too must make a chirping sound for me." But Russet Chick did not chirp and remained silent.

بھورا چُوزا بالکل نہیں چہچہاتا تھا۔ جب میں اس کے سامنے دانہ ڈالتی، وہ چپ چاپ کھا لیتا۔ میں نے اس سے کہا، "اب کہو، 'چوں-چوں'۔ لیلا کے جوتے چوں-چوں کرتے ہیں۔ تم بھی میرے لئے ویسے ہی چوں-چوں کی آواز کرو۔" مگر بھورا چوزا نہیں چہچہایا اور چپ رہا۔

Russet Chick chirped only when I pressed her in my arms. But Mummy did not like it. She would say, “The poor chick will die if you squeeze her like this.”

بھورا چُوزا تب ہی چہکتا تھا جب میں اسے اپنی بانہوں میں بھر کر دباتی تھی۔
لیکن امّی کو یہ پسند نہیں تھا۔ وہ ہمیشہ کہتی، ”اگر تم اسے اس طرح دباؤ گی تو بیچارا چُوزا
مر جائے گا۔“

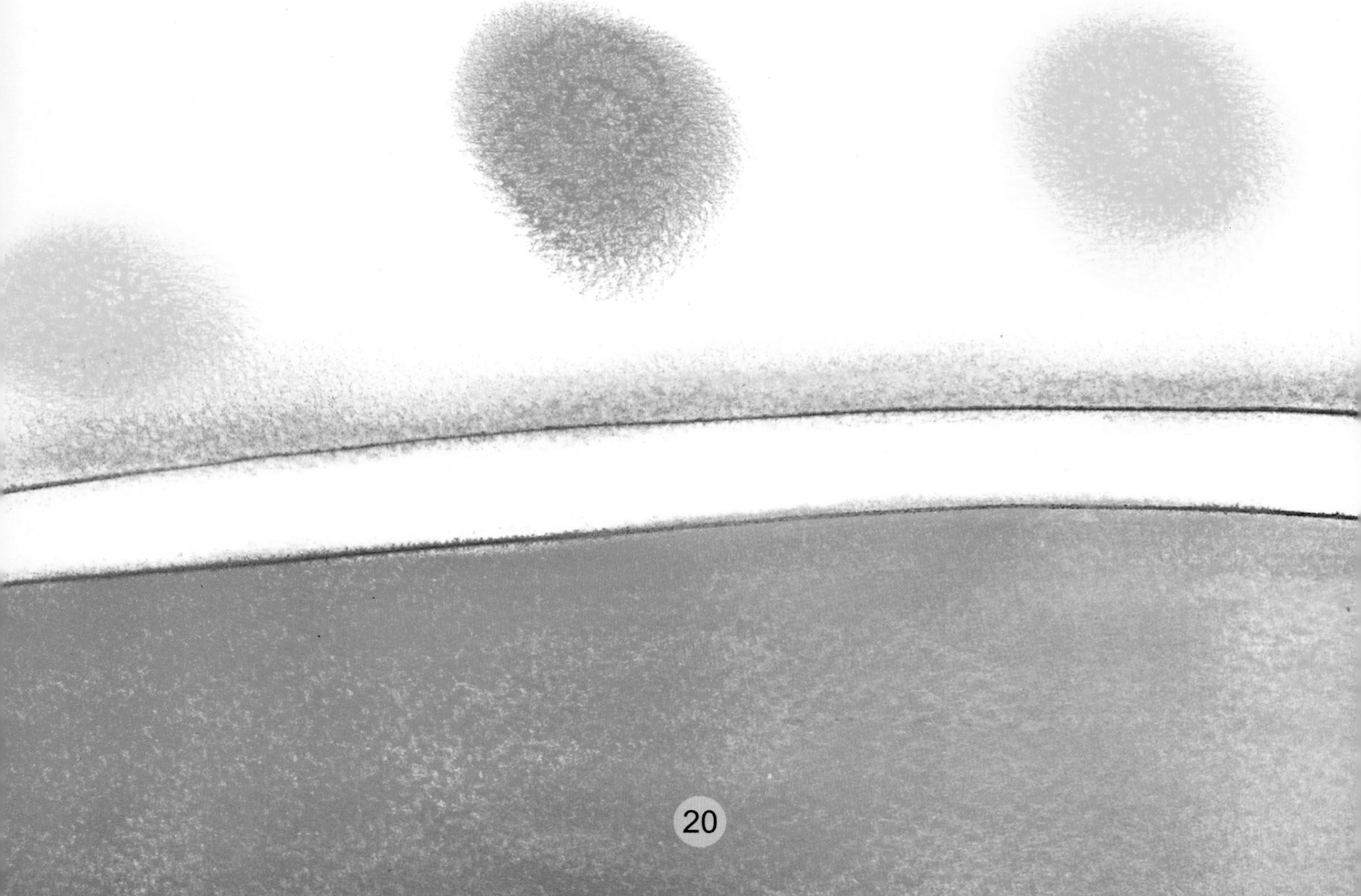

One day, Leila’s shoes got soaked in the rain and stopped chirping. I no longer felt bad that my chick did not chirp. Now Leila did not have anything better than my pet.

ایک دن، لیلا کے جُوتے بارش میں بھیگ گئے اور ان سے چوں-چوں کی آواز نکلنی بند ہو گئی۔
اب مجھے بھی میرے چُوزے کا چوں-چوں نہ کرنا برا نہیں لگتا تھا۔ لیلا کے پاس اب میرے چوزے سے بہتر کوئی چیز نہیں تھی۔

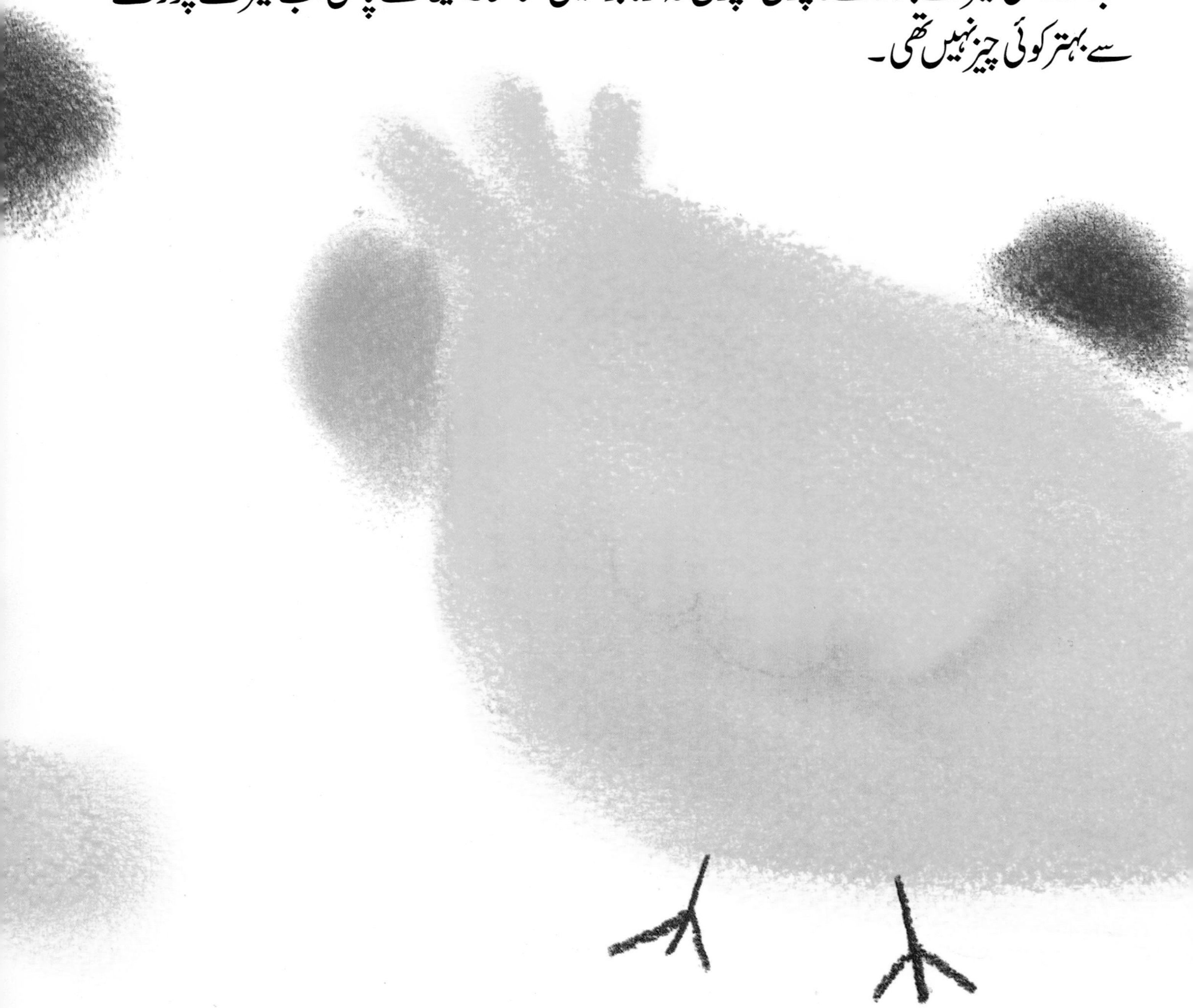

Russet Chick was a lovely chick and I loved her. When Mummy cooked rice for us, I took some for the chick too. I dug out worms from our garden and caught flies with the fly-swap for her.

بھورا چوزا بہت خوبصورت تھا اور میں اسے بے حد پیار کرتی تھی۔ جب بھی امّی ہمارے لئے چاول بناتیں، میں تھوڑا چوزے کے لئے بھی لے لیتی تھی۔ میں اسکے لئے باغیچہ سے کیڑے کھود کر نکالتی اور مکھّی، پتنگے پکڑتی تھی۔

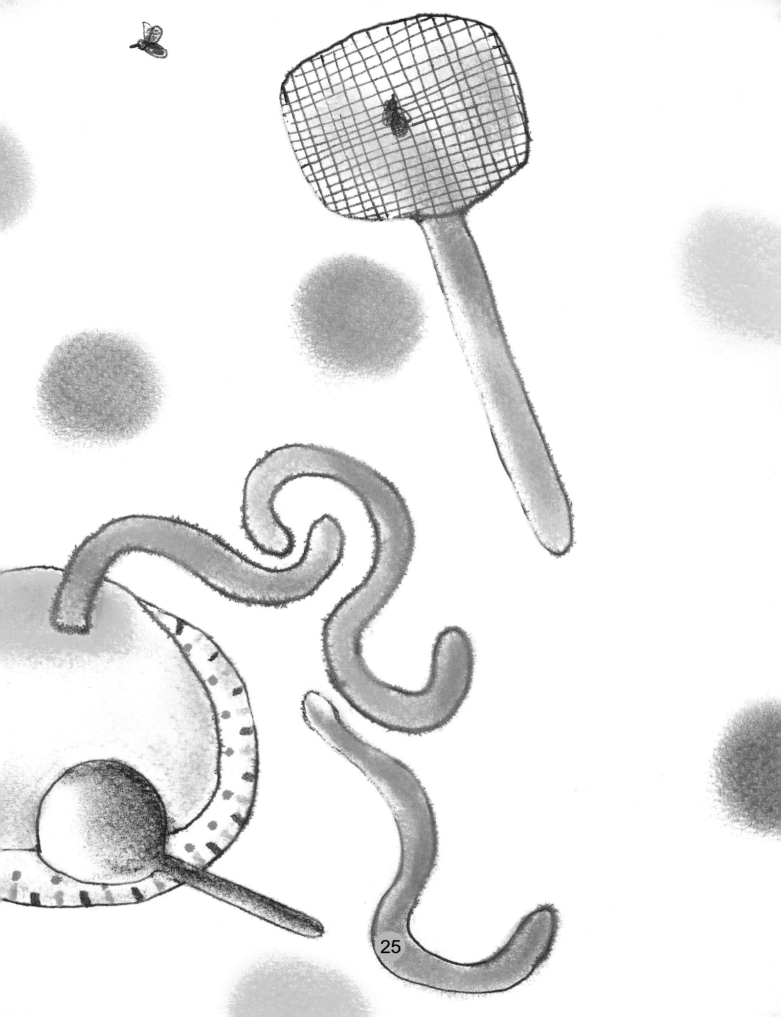

The sparrows would came and sit on the wall of our house and chirp merrily. Russet Chick watched them, but did not utter a sound.

Meanwhile Russet Chick ate and grew big. Plumes grew on her body and a small crown sprung on her head.

چڑیاں اڑ کر آتیں اور ہمارے گھر کی دیوار پر بیٹھ کر مزے سے چہچہایا کرتی تھیں۔ بھورا چُوزا اُنہیں دیکھتا رہتا، مگر کچھ آواز نہیں نکالتا تھا۔

اس درمیان بھورا چوزا کھا کھا کر بڑا ہو گیا تھا۔ اس کے جسم سے پر نکل آئے تھے اور سر پر چھوٹی سی کلغی ابھر آئی تھی۔

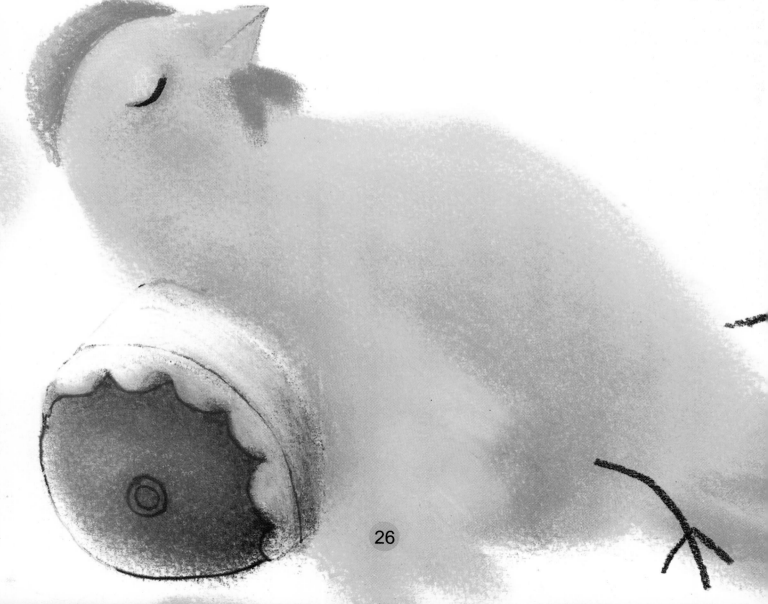

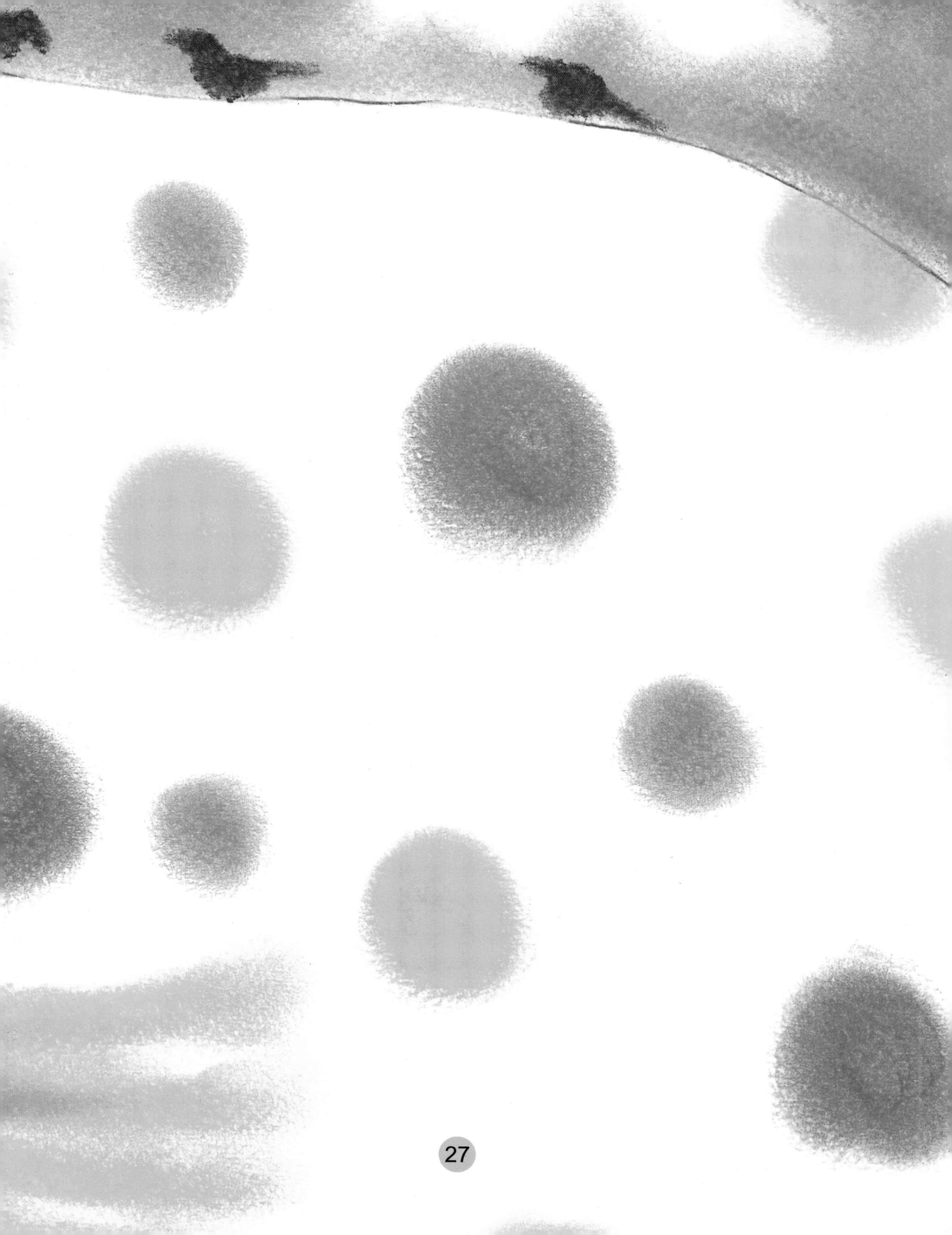

27

I asked Daddy, "When will Russet Chick lay eggs for us?"

Daddy replied, "Russet Chick has a crown. This means he is a cock. A cock does not lay eggs, but can sing."

میں نے ابّا سے پوچھا،''بھورا چُوزا ہمیں انڈے دینا کب شروع کریگا؟''

ابّا بولے،''بھورے چُوزے کے کلغی آ گئی ہے۔اس کا مطلب ہے کہ وہ مرغا ہے۔مرغا انڈے نہیں دیتا، پر بانگ دے سکتا ہے۔''

Several weeks passed. Russet Chick neither chirped, nor lay eggs nor sing. I said to myself, "This chick is useless. He cannot do anything at all. He only eats and eats."

کئی ہفتے بیت گئے۔ نہ بھورا چوزا چہچہایا، نہ انڈے دیے، نہ بانگ دی۔ میں نے سوچا، ''یہ چوزا تو کسی کام کا نہیں ہے۔ یہ کچھ بھی نہیں کرسکتا۔ یہ تو صرف کھاتا ہی رہتا ہے۔''

One day, as I walked out with my brother to go to school, I suddenly heard a song. I looked around and saw Russet Chick perched on the wall of our house, and singing merrily. I was very happy. My chick who could not even chirp till now, had grown into a beautiful cock and was loudly singing ‘Cock-a-doodle doo’.

ایک دن مدرسہ جانے کے لئے میں جیسے ہی اپنے بھائی کے ساتھ نکلی، میں نے اچانک بانگ کی آوازسنی۔ میں نے چاروں طرف نظر گھمائی اور دیکھا کہ بھوراچُوزاہمارے گھر کی دیوار پر بیٹھ کر مستی سے بانگ دے رہا ہے۔ مجھے بہت خُوشی ہوئی۔ میرا چُوزا جو ابھی تک چوں۔چوں نہیں کرسکتا تھا، ایک خوبصورت مرغا بن چکا تھا اور اونچی آواز میں گا رہا تھا، ’ککڑوں کوں‘۔

+ UR
E KAKAV

Kakavand, Kambiz.
Mera nannha cuza = My little
chick
Central Kids Picture Books
CIRC - 4th fl
09/09